theairaroundthebutterfly

Katerina Stoykova

Катерина Стойкова

въздухътоколопеперудата

Под редакцията на Георги Борисов
Edited by Georgi Borissov

the air around the butterfly

Katerina Stoykova

Poems

въздухът около пеперудата

Катерина Стойкова

Стихотворения

Факел експрес
Fakel express

Often I Wish I Were

a potato.

Eyes opened
in all directions.

Unafraid
of the cold earth.

The difference
between life and death
for somebody.

Често ми се иска

да съм картоф.

Да имам очи отворени
във всички посоки.

Да не се страхувам
да влизам в земята.

Да съм въпрос на
живот или смърт
за някого.

mymotherwasgo.ingtowar

майкамиотиванавойна

Better

On the night she was
supposed to elope
my sixteen year old grandma
suddenly stopped packing
sat down on the floor
cried and reasoned
if J's love was better
than Grandpa's land.

По-доброто

През нощта
когато щяла
да избяга и пристане
петнайсетгодишната ми баба
спряла да си събира багажа
и седнала на земята
да плаче и разсъждава
дали любовта на Павел
била по-добра от земята на дядо.

Photo of Grandpa as a Young Guerrilla

With a giant red geranium
tucked behind his ear
next to his almond eyes
he is almost smiling.

Holding up a rifle with both hands.
Standing tall in front of his mountain.

Wearing light sweatshirt
woolen pants
beret.

Bright grenades
are lining his belt like bread rolls
from sheathed knife to sheathed knife.

Снимка на дядо като млад партизанин

Той почти се усмихва
с голямо червено мушкато
зад ухото
до бадемовите му очи.

Държи пушка с две ръце.
Стои изправен пред Балкана.

Носи пуловер
вълнен панталон
каскет.

Ярки гранати
опасват колана му като хлебчета
от нож в кания до нож в кания.

Chasing

A two-lane road separated the bakery
from the square with pigeons.

Eyes
on the prize
I walked across
in a straight line.

Jolted with horror
Grandma ran after me
with the stroller.

Гонене

Двупосочна улица разделяше хлебарницата
от площада с гълъбите.

Взряна в тях
пресякох направо.

Баба подскочи от ужас
и хукна след мен
с количката.

Time

I asked Grandma
why she was crying.

She told me that
my great grandmother Maria
her own mother
passed away.

"But that was last week!" I protested
frowned and pulled on her hand
to come play with me.

Време

Попитах баба защо плаче.

Каза ми, че починала
нейната майка
моята прабаба Мария.

„Но това беше миналата седмица!“ – протестирах аз
намръщих се и я задърпах
да дойде да си играем.

The First Time I Tried to Leave Home

I told my friend I have decided that I am leaving home
and moving in with my grandparents.

She said, "Oh, yeah? Which bus are you taking?"

I didn't know.
I asked my father which bus to take.
He said I should take bus number 12.

I told my friend, "Bus number 12."
She said, "Oh, yeah? You sure? Number 12 or number 12 A?"

I didn't know.
I asked my father number 12 or number 12 A.
He said I should take bus number 12, not 12 A.

I told my friend, "Bus number 12."
She said, "Oh, yeah? At which stop do you need to get off?"

I didn't know.
I asked my father which stop.
He said I should get off at the sixth stop.

I told my friend, "The sixth stop."
She said, "You lie! You don't have a ticket."

I didn't have a ticket.
I asked my father for a ticket.
He gave me a ticket.

Опитвам се да напусна дома си за първи път

Казах на приятелката си, че съм решила да напусна дома си и да се преместя при баба и дядо.

Тя каза: „Така ли? Кой автобус трябва да хванеш?"

Аз не знаех.
Попитах баща си кой автобус да хвана.
Той каза, че трябва да хвана автобус номер 12.

Казах на приятелката си: „Автобус номер 12."
Тя попита: „Сигурна ли си? 12 или 12 А?"

Аз не знаех.
Попитах баща си 12 или 12 А.
Той каза да хвана 12, не 12 А.

Казах на приятелката си: „Автобус номер 12."
Тя попита: „Така ли? А на коя спирка трябва да слезеш?"

Аз не знаех.
Попитах баща си на коя спирка трябва да сляза.
Той каза да сляза на шестата спирка.

Казах на приятелката си: „Шестата спирка."
Тя каза: „Ти лъжеш! Ти нямаш билет!"

Аз нямах билет.
Поисках билет от баща си.
Той ми даде билет.

I told my friend, "I have a ticket and I am leaving now."
And I left.

I walked towards the bus stop and when I got there I waited along
with the other people for the bus to come.

And when the bus came I asked the people,
"Excuse me please is this bus number 12?
I have a ticket."

They said yes and I tried to climb onto the bus
but my foot in a red sandal could not reach high enough.

A nice man grabbed me under my armpits
and lifted me up onto the first step
"There," he said.
From that point on I could climb the rest.

But as the bus was closing its accordion doors
with an accordion sound
I heard the violin voice of my mother.
"Wait!
Wait!
Bring her down."

And the helpful people
that helped me on
helped me off.

My mother embraced me
and I missed the bus.

Казах на приятелката си: „Имам билет и вече тръгвам."
И тръгнах.

Запътих се към автобусната спирка и когато стигнах там
с останалите хора зачаках автобуса.

И когато той дойде попитах хората
„Извинете моля, това автобус номер 12 ли е?
Аз имам билет."

Те казаха: „Да", но когато се опитах да се кача
кракът ми, обут в червен сандал, не можа да стигне
толкова високо.

Един добър човек ме грабна под мишниците
и ме вдигна на първото стъпало.
„Хайде" – каза той.
Оттам нататък можех и сама.

Но когато автобусът затваряше акордеонови врати
с акордеонови ноти
чух цигулковия глас на моята майка:
„Спрете!
Спрете!
Върнете детето."

И добрите хора
които ми помогнаха нагоре
ми помогнаха надолу.

Майка ми ме гушна
и аз изпуснах автобуса.

Stones

...
Yes
I hid
in the bush
by the river
with the kids
and we did
throw stones
at the donkey
...
because
the boys
handed me rocks
and we didn't know
whose donkey it was
...
yes
I saw
it was tied
with a rope
when it tried to run
and I did feel pity
but they told me
it kicked people
...
yes
I regret
throwing rocks
but I couldn't toss
very strong
so I don't think
my stones hit it.

Камъни

...
Да
скрих се в храстите
до реката
и с децата
замервахме магарето
с камъни
...
защото момчетата
ми ги дадоха
и не знаехме
на кого е магарето
...
да
видях, че е вързано
когато се опита да избяга
и ми беше жал малко
но те ми казаха
че ритало понякога
...
да
сега съжалявам
но аз не мога
силно да мятам
и сигурно моите камъни
не са го ударили.

My Boyfriend Reports at the Drafting Location

His mother, his father,
his sister and I
took him to the garrison.

His head was shaved.
His face was pale.
His heart was fast.

Men with epaulets
took all boys away
and said that if we wait a bit
we will see them again
in their uniforms.

I waited standing by the door
then sitting on the floor
then over there on the bench
then by the bus.

His sister left
to do her work
and I left
after her.

My hair was long.
My face was wet.
My heart was bone.

Взимат приятеля ми войник

Майка му, баща му
сестра му и аз
го заведохме на гарнизона.

Главата му беше обръсната.
Лицето му беше бледо.
Сърцето му беше бързо.

Мъже с пагони
прибраха момчетата.
Казаха ни, че ако почакаме
ще ги видим пак
облечени в униформи.

Аз чаках права до вратата
после седнала на пода
после там на пейката
после на спирката.

Сестра му си тръгна –
беше заета
и аз тръгнах след нея.

Косата ми беше дълга.
Лицето ми беше мокро.
Сърцето ми беше на кокал.

Still standing by the door
his mother and his father
waved goodbye to me.

Изправени до вратата
майка му и баща му
ми помахаха за сбогом.

Nobody Made Soup

My father and I were
drinking coffee, arguing
while Mom was coming
out of surgery.

"You make her soup."
"No, you make her soup."

Никой не направи супа

В барчето пред болницата
баща ми и аз
пиехме кафе и спорехме
докато мама излизаше
от упойка.

„Ти ѝ направи супа."
„Не, ти ѝ направи супа."

My Mother Was Going to War

I had a dream –
my mother was going to war.

In her slippers
and cotton night-gown, loose
over the large tumors
my mother was going to war.

I cried and begged her,
"Mom,
stay with us.

Stay with us
for two more days –
the war may end
and you won't even have to fight, Mom.

Besides,
how can you carry
the knife
the pistol
the machine gun?"

Mom looked at me
and sighed,
but I saw that she
already listened only
to the distant gunfights.

Майка ми отива на война

Сънувах, че майка ми отива на война.

По чехли
и памучна нощница,
разхлабена
около едрите ѝ тумори.

Молих я и плаках:
„Мамо,
остани при нас.

Остани при нас
поне още два дни –
може да свърши войната.
И ти, мамо, си слаба.

Как ще носиш
ножа
пистолета
автомата?“

Тя ме погледна
и въздъхна,
но видях, че вече само
слушаше престрелките
в далечината.

Talasum

I warned your father
to be nice to you
and if he kicks you out
on the street
with small child
no job
no money
no place to go

that I will become
a talasum
and haunt him.
I told him that
I will stalk him.
I will sit at the table
in the house
stare at him
as he eats his dish
and as he drinks his beer.

I cursed your father
if he strikes you
when I'm gone
that his hands will hurt.
I promised him
that they will dry up
and drop.
I told him
he won't be able to go pee
or smoke.

Таласъм

Предупредих баща ти
да се грижи за теб
и ако те изпъди
на улицата
без работа
без пари
с малко дете
без да имаш къде да отидеш

ще му се явявам
като таласъм.
Ще вървя след него
из къщи
ще седя на масата
и ще го гледам
като си пие бирата
и си яде манджата.

Прокълнах баща ти
ако те бие
след като умра
ръцете да го заболят.
Обещах му
че ще изсъхнат
и ще се откъснат.
Казах му
че няма да може да пикае
или да си запали
цигара.

I told him I will wander
through the rooms
and watch him sleep
not let him have
a minute of peace
and he must be good
to you and Simeon
and not hurt you.

And he said he won't.

Казах му че ще бродя
из стаите
и ще го гледам
като спи
и няма да му позволя
минута мир
и че той трябва да е добър
към теб и Симеон
и да не ви крещи.

И той се съгласи.

Hospital Room

If only these walls could talk they would say,
“If only this nightstand could talk it would say,
“If only this pillow could talk it would say,
“If only this bed-pan could talk it would say,
“If only Death could talk he would say,
“I don’t kiss and tell.”
”
”
”
“
.

Болнична стая

Ако тези стени можеха да говорят щяха да кажат:
„Ако тази маса можеше да говори щеше да каже:
„Ако тази възглавница можеше да говори щеше да каже:
„Ако тази подлога можеше да говори щеше да каже:
„Ако Смъртта можеше да говори щеше да каже:
„Аз целувам без да приказвам.“
“
“
“
“
.

Last Time

Last time I saw my mom
she was entering the earth.
Entering the earth on a cold day
without a jacket.
Without a hat or a scarf.

She was wearing my summer dress.
A summer dress she bought for me.
A dress we shared
for few years.

I am now wearing my mom's ring
a ring with stone
the color of the earth she entered.

За последен път

Когато видях мама за последен път
тя влизаше в земята.
Влизаше в земята без палто
без шал и шапка.

Влизаше в земята с лятната си рокля
която беше купила за мен
и двете носихме с години.

Сега аз нося пръстена на мама
пръстен с камък
с цвета на земята в която мама влезе.

Dressing for My Mom's Funeral

It's going to be cold.
Dress up with extra sweater
above the black turtleneck.

Wear boots
and something warm
underneath your pants.

Nothing stops the wind at the cemetery.
The cold wind cuts like a knife,
penetrates your body
and can make you sick for a long time.

And we don't want that.

Обличам се за погребението на мама

Ще бъде студено.
Сложи си още един пуловер
върху черното поло.

Носи ботуши
и нещо топло
под панталона.

Нищо не спира вятъра на гробищата.
Реже той като нож.
Ще проникне в тялото ти
и за дълго ще те разболее.

А ние не искаме това.

Just in Case

"Just in case"
and so that
"things get better"
Tanya and I
saved money for the fee
and went to church
to get baptized
side by side
with real holy water

by a serious priest
wrapped in black
wearing a grey beard shaking
with Orthodox chants
and trapezoid hat
embroidered with tall crosses.

Then we went to celebrate
our future luck and happiness
(which only came to me
even though
we both
got the certificates).

За всеки случай

„За всеки случай“
и „за да се подобрят нещата“
Таня и аз
отидохме на църква
да се кръстим
с истинска светена вода
двете заедно

от смръщен поп
опасан в черно
със сива потреперваща
от православните напеви
брада
с трапецовидна шапка
избродирана с високи кръстове.

С кръстниците после
отидохме да отпразнуваме
бъдещите ни късмет и щастие
(които дойдоха само при мен
въпреки че и двете
получихме свидетелства).

Grandpa Refuses to Visit

The cold war is over
but he is yet to thaw
his colonel heart.

For as long as we
have an American visiting
Grandpa won't be stopping by.

Dressed in her most expensive clothes
Grandma delivered the message
with homemade Bulgarian cookies.

Дядо отказва да ни посети

Студената война приключи
но полковнишкото сърце
не се е размразило.

Докато американец
ни гостува вкъщи
дядо няма да ни посети.

Облечена с най-скъпата си рокля
баба донесе съобщението
заедно с домашни курабийки.

e.t.andIphonehome

и.с.иазсеобаждамедовкъщи

Plea

Mirror?
Mirror on the wall?

I am starting over and
I need to ask you a big favor.

I need you to forget
everything

you've seen
so far

good
or bad.

I need you to wipe your
silver slate

clean
nearly snow-white.

Молба

Огледалце?
Огледалце от стената?

Днес започвам отначало и
трябва да ти поискам голяма услуга.

Моля забрави
всичко, което си видяло.

Моля изтъркай сребърното
си лице

докато стане
снежнобяло.

The Last Sweater

The last sweater Grandma knitted
keeps me warm
like the hug she gave me
right before
she waved after the car
that took me to the airport
and the country where sweaters are cheap
and abundant.

Последният пуловер

Последният пуловер, който баба оплете
е топъл като прегръдката, която тя ми даде
преди да започне да маха след колата
която ме отведе до летището и до страната
където пуловерите са многобройни
и евтини.

Cold

When I was leaving for America
Grandma knitted warm socks for me.

"It's cold there," she told me concerned.
"These are pure wool.
They may be prickly, but they'll keep
your feet warm."

I didn't take the socks with me.

But it turned out Grandma was right.
It was cold in America.

The chill infused me
from my skin to my source.

Without the people I loved
without my language
without Bourgas
without the sea
in my cotton socks
I was cold.

Студено

Когато заминавах за Америка
баба ми изплете чорапи.

„Там е студено – каза ми угрижена. –
Това е чиста вълна от село.
Бодат, но ще ти топлят краката.“

Не взех чорапите.

Но баба се оказа права.
Студено беше в Америка.

Хлад ме изпълни
от кожата до сърцето.

Без хората, които обичах
без езика
без Бургас
без морето
с памучните чорапи
студено беше.

I Dream of My Mother

A bus arrived.
Out of it
looking great and smiling
came my mother.

I threw myself at her –
"Where have you been, Mom
all these years when
I've been missing you and crying?"

She took me by the hand
and then we went
to look for clothes in JC Penney

where she piled her shopping cart
with skirts, dresses, scarves and pants
and, radiant, declared –
"I am in heaven."

Сънувам майка си

Пристигна автобус.
От него
красива и усмихната
слезе майка ми.

Хвърлих се към нея:
„Къде беше, мамо,
толкова години
за тебе плача, че те няма.“

Тя ме хвана за ръката
и отидохме до магазина
да си купим нови дрехи.

Там тя избра
поли, рокли, шалове и панталони
и лъчезарна заяви
„Аз съм на небето.“

Phone Calls

In a forest
tall and gentle
in our respective meadows
on an appointed night
E.T. and I phone home.

It takes much time
to dial all the digits
to press each button
then release it
in a long row of
unforgiving numbers.

So many times
we need to hang up
and start over.

Just one digit off and -
we connect to Mars
or Macedonia.

What are we going to say
when we connect eventually?

E.T. is more or less clear -
he wants out.

I will have to keep
repeating that I am doing
fine.

Телефонни обаждания

В гората
висока и нежна
в уречена нощ
от своите поляни
И.С. и аз се обаждаме до вкъщи.

Отнема доста време
да натиснем всички цифри
от дълга, непрощаваща редица.

Много пъти затваряме
и почваме наново.

Ако объркаме дори една цифра
свързваме се с Марс
или с Македония.

За какво ли ще говорим
когато успеем да се свържем?

На И.С. му е ясно –
иска да се прибира.

Аз ще продължавам
да разказвам
че всичко е прекрасно.

In other worlds
our parties are waiting
for our calls
drinking coffee or levitating.

В други светове
близките ни чакат да се чуем.
Пият кафе и мият летящи чинии.

A Letter from the Reservation

Mom!
Be so kind
send something warm to me.

I prefer a live dog.

Писмо от резервата

Мамо!
Бъди така добра
прати ми нещо топло.

Предпочитам живо куче.

Moving

Didn't happen last week
this week is almost over
probably the next one.

Any day now
her grandson with his wife
will turn up
to collect her from the village.

It's easier to live in the city.

The food is ready.
The hospitals are near.
The toilet is indoors.

They keep the whole apartment heated
for the kids to run around.

She packed her things
and the sweaters she'd knitted
to give as presents.

The grandpa-friend
already moved out.
They split the hens
and the remaining feta.

Местене

Не се случи миналата седмица
тази седмица вече свършва
може би следващата.

Всеки момент
внукът ѝ с жена му
ще се появят
да я приберат от село.

В града по-лесно се живее.

Храните са готови.
Докторът е близко.
Тоалетната е вътре.

Целият апартамент е топъл
малките да бягат и играят.

Тя си е приготвила нещата
и пуловерите, дето ги е плела
за подарък.

Дядото-приятел вече се изнесе.
Разделиха си кокошките
и кашкавала.

Alone, she sits
And waits
by the flickering stove.

She already sold
her stock of wood.

Тя седи сама
и чака
пред мъждукащата печка.

Вече е продала
зимния запас дърва.

My Father and I

We are covering my mother's grave
with a plate of white marble.

It's better this way.

We are covering my mother's grave
out of respect for her,
and not convenience for us.

After all - we were really good
about visiting often,
to talk and light candles
to tell her what is new
and how she could help us.

We don't have to do this -
the marble is expensive
costs a lot of money we could spend on other things.

But it's been twelve years,
I live ten thousand miles away
and what if Dad gets sick tomorrow?
There is no one else
to do the upkeep
to pull the weeds
to plant new flowers
to wash the photo of my mom -
who smiles with total understanding.

Баща ми и аз

Покриваме гроба на мама
с мраморна плоча.

Така е по-добре.

Покриваме гроба на мама
от уважение към нея
и не заради нашето удобство.

Та ние идвахме често
да говорим и да палим свещи
да мълчим и пушим на пейката
да разкажем какво ново е станало
или да поискаме помощ от мама.

Не се налага да покриваме гроба.
Мраморът е скъп
парите можем да използваме за друго.

Но минаха дванайсет години
и аз живея на десет хиляди мили разстояние
и какво ще правим ако татко падне болен?
Няма кой да се грижи за гроба
да скубе плевели
да сади нови цветя
да мие снимката на мама
която се усмихва с разбиране.

Sus-toss

Sus-toss is a word in the Hopi language to describe the disease that people suffer when they move to live on new lands

Sus-toss is a disease that makes you not want the things you want.

It makes you not want to think about the things you want to think about.

It makes you not want to talk to your friends.
It makes you not want to have any friends.

It is the disease of living in a walnut shell
and spending all your strength to keep it closed.

When you have sus-toss you don't want to get together with people.
When you have sus-toss you don't want to be alone.

When you have sus-toss you allow yourself to only feel the joy of work.
You wear your company badge as if it were a medicine bag.

Sus-toss is the disease that urges you to be busy and work every second of every day.
Sus-toss makes you depressed on your days off.

Sus-toss causes you to fail to see the beauty in places and people.
Sus-toss causes you to not want to see the beauty in places and people.

Sus-toss is the disease that causes different parts of you to live in different places.

It makes you want to move from place to place
even though all places seem alike.

It is the disease of not decorating your house.

Сус-тос

За индианците от племето Хопи сус-тос е болестта, от която страдат хората, които напускат родния край и се заселват на нова земя.

Сус-тос е болест която те кара да не искаш нещата които искаш.
Сус-тос те кара да не искаш да мислиш за нещата за които искаш да мислиш.

Кара те да не искаш да говориш с приятелите си.
Кара те да не искаш приятелите си.

При тази болест живееш в орехова черупка
и изразходваш всичките си сили да я държиш затворена.

Когато боледуваш от сус-тос не искаш да се събираш с хора.
Когато боледуваш от сус-тос не искаш да си сам.

Когато боледуваш от сус-тос си позволяваш само радостта от работата.
Носиш ключа за офиса си като орден.

Сус-тос е болест която те кара да работиш всяка секунда от всеки ден.
Сус-тос те изпълва с депресия през почивните дни.

Когато боледуваш от сус-тос не можеш да видиш красотата в градовете и хората.
Когато боледуваш от сус-тос не искаш да видиш красотата в градовете и хората.

Сус-тос е болест при която различни части от теб живеят на различни места.

Кара те да се местиш от едно място на друго
въпреки че всички места ти се струват еднакви.

При тази болест не си обзавеждаш апартамента.

It is the disease that causes you to eat only pizza.

It makes you eat cheesecake when all you want is bread.

When you have sus-toss you are afraid to be happy.
When you have sus-toss you are afraid.

When you have sus-toss you are not as beautiful as you used to be.

When you have sus-toss you are oppressed by temporariness.

You are hoping that something will change.
Sus-toss makes you hope a big difficulty will come your way.

It makes you compete with everyone.
It makes you leave yourself behind to breathe your own dust.

Sus-toss causes you to feel as though you are living somebody else's life.
Somebody ordinary.

Somebody who wants to be important.
Somebody who wants to be somebody.

Somebody who wants to take over the world.
Somebody terrified by the thought of not being successful.

Somebody who does not want to care about anything and is bothered by that.

Sus-toss makes you want proof that it was all worth it.

You can see the rest of your life and predict every day until the very end.

You feel as though you are sleep-living.

Ядеш само пица.

Сус-тос те кара да ядеш торта когато искаш хляб.

Когато боледуваш от сус-тос се страхуваш да бъдеш щастлив.
Когато боледуваш от сус-тос се страхуваш.

Красотата ти се изчерпва.

Когато имаш сус-тос се чувстваш потиснат от временност.

Надяваш се че нещо ще се промени.
Сус-тос те кара да се надяваш че големи трудности ще те споходят.

Кара те да се състезаваш със всички.
Кара те да надбягаш себе си.

Сус-тос те кара да се чувстваш сякаш живееш живота на някой друг.
Някой обикновен.

Някой който иска да придобие важност.
Някой който иска да е някой.

Някой който иска да преуспее.
Да превземе света.

Някой който е ужасѐн от мисълта, че това е всичко.

Някой който не иска да се ядосва за нищо но се дразни от това.

Кара те да търсиш доказателство, че всичко това си е струвало.

Можеш да предскажеш всеки ден до края на живота си.

Имаш чувството, че живееш като насън.

Sus-toss makes you dislike yourself.

It makes you hope that you will die soon.

It feels as though you've lost your mother.

It feels as though you've moved in with your father's new wife and now you are getting used to her cooking, her favorite colors, her clothes. You are noticing that she does not save the best slice of watermelon for you, and that you need to eat quickly from the dish, along with everybody else.

Сус-тос те кара да не се харесваш.

Сус-тос те кара да се надяваш че скоро ще умреш.

Чувстваш се като загубил майка си.

Чувстваш се като че ли си се преместил при новата съпруга на баща си и сега се опитваш да свикнеш с нейното готвене любими цветове и дрехи. Забелязваш как тя не ти запазва най-доброто резенче диня и ти се налага да ядеш бързо от общата паница.

To the Immigrant, Baking an Apple Pie

You very well know
you are not
going to like it.

You hate pie crust
warm apples
cinnamon.

Nonetheless, you dive
into the cookbook
convert the recipe
to metric units
and craft
the perfect pie.

Your children love it.

До иммигранта, печащ ябълков пай

Много добре знаеш
че няма
да ти хареса.

Мразиш паева кора
топли ябълки
канела.

Въпреки това се гмуркаш
в готварската книга
обръщаш рецептата
в метрични единици
и създаваш
прекрасен пай.

Децата ти го обичат.

theapplewhowantedtobecomeapinecone

ябълката,коятоискашедастанешишарка

A Dream

At my feet – a stack of fish scales.

One by one I pick them up
and glue them to my body.

I resemble a half-done
3-D puzzle of a fish.

I think I may be a trout.

Why, in the world, are you doing this?
A passerby cries.

I open and close,
open and close,
open and close
my mouth.

Сън

В краката ми – купчина люспи.

Една по една ги вдигам
и ги залепвам по тялото си.

Приличам на недовършен
релефен пъзел на риба.

Мисля си, че съм шаран.

Защо правиш това?
Възкликват минувачите.

Аз отварям и затварям
отварям и затварям
отварям и затварям
уста.

Slow Dancing with My Demons

When bony heads with horns
rest on my shoulders
in hope of tenderness
I pet their hair.

We hold each other's hands
we lock each other's eyes
we savor the dramatic moments.

I lead this dance
through the ballroom
across the time past
towards the time left.

It will be easier
to cross together
with cries of violin surrounding our steps
breathing as a group
all for one and one for all.

Бавен танц с моите демони

Когато полагат рогати глави
на раменете ми
с надежда за нежност
аз галя косите им.

Държим си ръцете
гледаме се в очите
наслаждаваме се на драмата.

Аз водя танца
през залата
от времето, което вече е минало
към времето, което остава.

Ще е по-лесно
да прекосим заедно
дишайки вкупом –
един за всички
всички за един.

Donor

I pilot the helicopter
carrying my organs.
I advertise at different destinations.

Do you want my heart?
It's a good one...

Do you need a stomach?
This one's been tested
through thick and thin.

Tissue, cartilage or skin?
Everyone could use them –
low maintenance, high utility,
imported from Europe.

Forehead with a blinking third eye?
Bellybutton pointing in?
Two heart shaped kneecaps?
One heart shaped kneecap?

The chopper turns arthritic hands
and makes a wide cut through the air.
I'm still intact
flying elsewhere.

Донор

Аз карам хеликоптера
който носи моите органи.
Рекламирам ги по спирките.

Искате ли моето сърце?
Добро е...

Искате ли ми стомаха?
Доказан е през тънко и дебело.

Тъкан, хрущял или кожа?
Всеки може да ги ползва –
лесна поддръжка
висока практичност
износ от Европа.

Чело с мигащо трето око?
Пъпче, сочещо навътре?
Две сърцевидни колена?
Едно сърцевидно коляно?

Хеликоптерът върти ръце.
Реже въздуха хоризонтално.
Тръгваме си цели
да опитаме на друго място.

I Breathed on the Glass

and erased your face.
At that instant
the lizard
parted with his tail.

Дъхнах на стъклото

и изтрих лицето ти оттам.
В този миг
и гущерчето
се раздели
със своята опашка.

Dear Ladybug,

with your feet stuck in tar
you will not come out whole.

Even if you flap your wings
very, very fast.

Мила калинке,

с краченца в катрана –
няма да излезеш цяла.

Дори и да махаш с крилца
много, много бързо.

Loss

If a butterfly tries to be an ant
if an ant tries to be a butterfly
the world loses an ant
the world loses a butterfly.

Загуба

Ако пеперудата се опитва да бъде мравка
ако мравката се опитва да бъде пеперуда
светът губи мравка
светът губи пеперуда.

How to Cut Losses

Chop them finely
with lettuce
and bitter greens.

Top with salt.
Mix with vinegar.

Wash your hands.

Как се режат загуби

Накълцайте ги ситно
с марули
и горчиви зеленчуци.

Поръсете ги със сол.
Смесете ги с оцет.

Измийте си ръцете.

How to Write a Poem

Catch the air
around the butterfly.

Как се пише стихотворение

Хвани въздуха
около пеперудата.

Announcement

Yesterday
was opened to the public
the cave
that grows the stalactite
of my happiness.

Обява

Вчера
отвориха за публика
пещерата
която отглежда
сталактита на моето щастие.

Soluble

Like a block of salt in water
I give what I am.

Разтворима

Като бучка сол във вода
давам каквото съм.

The Cab Driver

doesn't open the window
lest my perfume fly away.

I stubbornly stare out the window.

Шофьорът на таксито

не отваря прозореца
за да не излети парфюмът ми.

Аз упорито гледам през прозореца.

The World Was Starving

I locked the door and ate
one bitter cookie.

Целият свят гладуваше

Аз се заключих и изядох
една горчива курабийка.

My Personality

Unfolding before you
like a Swiss Army knife.

Моят характер

Разгъва се пред тебе
като джобно ножче.

Impatience Kills

quickly.

Нетърпението убива

бързо.

I Am Hanging from the Web

squeezing it with all my might:
"Eat me, hairy monster
before I discover
if I can fly!"

Вися от паяжината

Отчаяно я стискам:
„Изяж ме, космато чудовище
преди да науча
мога ли да полетя!"

Optimism

This space in my heart
intentionally left blank.

Оптимизъм

Това място в моето сърце
умишлено е оставено празно.

Tree

The stem
is the thickest
around its hollow.

If you lay it
sideways
it will look like
a boa constrictor
digesting an elephant.

Дърво

Стеблото
е най-дебело
около хралупата.

Ако го положиш
настрани
ще прилича на
боа погълнала слон.

Function

X = Motherhood, Education, Travel, Grad School, Money, Knowledge, Marriage
Y = Grad School, Marriage, Motherhood, Education, Money, Travel, Knowledge

```
For every X repeat
{
        For every Y repeat
        {
                She had a dream of X
                It failed because of Y
        }
}
```

Функция

X = Майчинство, Образование, Пътуване, Пари, Знание, Брак
Y = Образование, Пътуване, Пари, Знание, Брак, Майчинство

```
За всеки X повтори
{
	За всеки Y повтори
	{
		Тя мечтаеше за X
		Не се получи заради Y
	}
}
```

The Rope to Nowhere

After a poem by Molly Peacock

Missing
what you don't
want is like
seeing
the rope to
nowhere being
lowered
into your hands
after you have
fallen to
the bottom
of a deep well.
You mull
in your head
whether
to tie it around
your waist
or your neck or
simply
ask for a piece
of bread.
There is
plenty of
water.

Въжето заникъде

По стихотворение на Моли Пикок

Да ти липсва
каквото
не искаш
е като да видиш
въжето заникъде
спуснато
в ръцете ти
след като
си паднал
на дъното
на дълбок
кладенец.
Премисляш дали
да го вържеш
около кръста си
около шията
или само
да поискаш
парченце хляб.
Има достатъчно
вода.

Reluctance

The Spare Tire
is constantly afraid
that one day
it will be his turn
to start carrying the weight
of the car
in which
he has been riding.

Once
a while back
he whispered his fears
to the windshield wipers
but in silent judgment
they just shook their heads.

And so
he cowers
under the cover
lays low in the dark
and on rainy days
he keeps
particularly
quiet.

Often
the Spare Tire
counts his blessings:
One Two Three Four
One Two Three Four.

Нежелание

Резервната гума
постоянно се бои
че един ден
ще дойде и нейният ред
да носи колата
в която се вози.

Веднъж
преди доста време
тя призна страха си
пред чистачките
но с тиха присъда
те само поклатиха глави.

И така
тя се свива под капака
лежи на тъмно
а през дъждовни дни
е особено безмълвна.

Често
Резервната гума изброява
подаръците от съдбата:
Едно Две Три Четири
Едно Две Три Четири.

Admits that
actually
if it were not
for the constant fear
being a spare
is not at all a bad job.

True
a little unexciting
but being a regular tire
in daily use
seems really
terrifying.

Already
deep furrows of worry
zigzag and wrap
his forehead
round
and round.

Desperate
he reads all library books
he finds
forgotten in the trunk
listens to any backseat gossip
of erudite passengers
and radio talks
with famed psychiatrists
to try to grasp
where his reluctance
comes from.

Признава
че всъщност
ако не беше тази боязливост
да си Резервна гума
не е лошо занимание.

Вярно
малко е еднообразно
но да си редовна гума
в дневна употреба
изглежда направо
ужасно.

Вече
дълбоки бразди от тревоги
опасват челото ѝ в зигзаг.

Отчаяна
тя чете всички книги
забравени в багажника
вслушва се в клюки
на ерудирани пътници
и в съвети
от радиопредавания
да проумее
ако може
откъде произлиза
това нежелание.

Believe me
he is deeply ashamed
and feels unworthy
compared to the wheels
propelling progress
pulling heavy loads
rolling their radial faces
over highways
and dirt
roads.

How
he envies
the way they carry
themselves
how
he wishes
he were like they -
so confident
and groovy.

Повярвайте
тя се срамува дълбоко
и се чувства презряна
от другите гуми
които движат прогреса
дърпат товари
търкалят радиални лица
по кални пътища
и магистрали.

Как
им завижда
за начина
по който се носят
как
ѝ се иска
да бъде
като тях –
така безстрашна
и напомпана.

Wanted

A new houseplant.
Drought and
overwatering-resistant.
OK living in a small pot.
Can survive alone in twilight.
Green no mater what.
Blossoming welcome
but not required.

Търси се

Ново домашно растение.
Да издържа на суша
и преводняване.
Да може да живее
само в полумрак
в малка саксия.
Да е зелено при всякакви условия.
Не е задължително да цъфти.

Small

Like the clasp of a necklace
death is a fairly small
part of life.

Малка

Като закопчалка на огърлица
смъртта е само малка
част от живота.

On a Nearby Table, Two Men

Father
and son

Coat
and jacket

Vodka
and beer

Widower
Widower

На съседната маса, двама мъже

Баща
и син

Палто
и яке

Водка
и бира

Вдовец
Вдовец

Here, I've Already Been Lost

On these roads
of different sizes
and importance
leading to towers
where I've been locked
to fortresses
I've conquered
to habitats
of species I've killed off.
Here, I've already been lost.

Тук вече съм се губила

По тези пътища
различни по размер
и важност
водещи до кули
в които съм заключвана
до крепости
които съм превземала
до местности
на животински видове
които съм изтребила.
Тук вече съм се губила.

Geometry

Horizontal planes:
Blue sky over green water.
Flat clouds over brown rocks.

Vertical planes:
Pine trees.
Rain.

Coordinates:
A man, praying in his living room, by a candle.
An elk, grazing new grass, in spring.

Геометрия

Хоризонтални равнини:

Синьо небе над зелена вода.
Плоски облаци над кафяви скали.

Вертикални равнини:

Борове.
Дъжд.

Координати:

Мъж – в гостната – на свещ се моли.
Елен – пасе трева – напролет.

I Dream of a Crow on 17th of November, 2007

I had a dream last night –
a naked crow
was walking though my home.

Arrived in such a hurry
he had no time to put on meat
or feathers.

And so
a crow of naked bones
traversed my house
with weightless steps
at acute angles.

He walked from room to room
pecked the dirt off my shoes
checked if I water the geraniums.

This miniature dinosaur model
gave me the tour of my home
showed me everything
I own.

I followed his ivory frame
at a safe distance.

Сънувам гарван на 17 ноември 2007

Сънувах нещо снощи –
гол гарван
вървеше през къщи.

Пристигна бързо
нямаше време да си облече месото
нито перата.

И така
голи гарванови кости
обхождаха дома ми
под остър ъгъл
с безтегловни стъпки.

Разведе ме през всички стаи
изкълва калта от обувките ми
провери дали поливам здравеца.

Този миниатюрен макет на динозавър
обиколи дома ми
и всичко ми показа
което притежавам.

Аз следвах неговия скелет
на безопасно разстояние.

My Pants Wanted to Fall

Like a feather from a tower

skin from a snake
shell from a crab

wax from a candle
water from a stalactite.

Like the Berlin wall
my pants wanted to fall.

Панталоните ми искаха да паднат

Както перце от камбанария

кожа от змия
черупка от рак

восък от свещ
вода от сталактит.

Като Берлинската стена
панталоните ми искаха да паднат.

To the Ducks

It must be nice
to fly at will
just like that.

If I want to lift off
as much
as a single inch
I have to plan months
in advance.

Lose weight.
Wave arms.
Swim, lift, run.

And even then
it's hard to tell
if I fly
or just jump.

На патиците

Добре им е така – летят
когато пожелаят.

А ако аз искам да се издигна
дори и сантиметър
трябва да планирам с месеци.

Да отслабвам.
Да размахвам с ръце.
Да тренирам, да плувам, да бягам.

Дори и тогава
не съм сигурна
дали летя
или само подскачам.

Crossing

The marching alphabet approached the border. The letters were exhausted from the long trip. They did their best to move as one, but it was becoming more and more difficult.

O rolled; P hopped; K hobbled; M waddled.

L was the leader. He dragged his bony bottom, leaving a wide trail of injured grass.

"At ease," he yelled when they reached the barbed wire.

Panting, G plopped under a tree next to Q, who was plucking burrs off his tail.
U thoughtfully rocked side to side. Z fanned his hat in the oppressive heat.

An hour passed in silence.
"Now what?" asked Y.

"Now we go in and take over," answered A. "It is our duty to help these people."

T crossed himself.
V lifted hands towards the sky to praise God.
H folded arms across his chest and said nothing.

Поход

Маршируващата азбука се приближи към границата. Буквите бяха изтощени от дългия път. Те се стараеха да се движат като една, но това ставаше все по-трудно.

О се търкаляше; Р подскачаше; К куцаше; М се поклащаше.

L беше начело. Влачеше кокалестия си задник, оставяйки широка следа от наранена трева.

„Свободно!" - извика когато достигнаха бодливата тел.

Пъхтящо, G се пльосна под дървото до Q, който дърпаше бодли от опашката си. U замислено се поклащаше. Z вееше с шапка в потискащата горещина.

Цял час премина в мълчание.
„Сега какво?" - попита Y.

„Сега влизаме и превземаме - отговори А. - Наш дълг е да помогнем на тези хора."

Т се прекръсти.
V вдигна ръце към небето да хвали Бога.
Н скръсти своите пред гърдите си и нищо не каза.

The Apple Who Wanted to Become a Pinecone
(An Interview)

Q: I can see why a pinecone would wish to be an apple, but it is less obvious why an apple would want to be a pinecone. Why do it?

A: Well... Maybe I would like having hundreds of arms. Maybe I would enjoy letting air reach the rope of my core. Maybe I want to resemble a fish and a tree at the same time. Is that so difficult to believe?

Q: Is there anything you'd miss about being an apple?

A: No. I am tired of being sweet, round and shiny. I no longer want to smell good. I hate being food for humans. It bugs me when they look at me and salivate. I am tired of keeping their stupid doctor away. I am sick of being juiced together with vegetables. And I am afraid of worms.

Q: How will you go about turning into a pinecone?

A: First, I'll elongate, then I'll shrink at the waist, then I'll develop scales, and produce a seed for each. I'll dry up and turn brown, my favorite color.

And I will fall far, far from the tree.

Ябълката, която искаше да стане шишарка
(Интервю)

В: Разбирам защо шишарка би искала да стане ябълка, но не е очевидно защо ябълка би искала да стане шишарка. Каква е причината?

О: Ами. . . Може би искам да размахвам стотици ръце. Може би ще ми е приятно, ако въздухът достигне въжето на сърцевината ми. Може би ми харесва идеята да съм покрита с люспи. Може би искам да приличам на риба и на дърво едновременно. Толкова ли е трудно да се повярва?

В: Ще ти липсва ли нещо, ако престанеш да си ябълка?

О: Не. Уморих се да съм сладка, кръгла и лъскава. Вече не искам да мириша на хубаво. Мразя да съм храна за хората. Ядосвам се, когато ме гледат и им текат лигите. Омръзна ми да ме изстискват със зеленчуци. И се страхувам от червеи.

В: Как възнамеряваш да се превърнеш в шишарка?

О: Първо ще се удължа, после ще се стесня в талията, след това ще развия люспи и ще създам семенце за всяка от тях. Ще изсъхна и ще стана кафява – любимия ми цвят.

И ще падна далече, далече от корена.

Съдържание
Table of Contents

The apple who wanted to become a pinecone

Ябълката, която искаше да стане шишарка

Катерина Стойкова
ВЪЗДУХЪТ ОКОЛО ПЕПЕРУДАТА
стихотворения
Първо издание

Редактор Георги Борисов
Художник Инна Павлова

ISBN 978-954-9772-64-7

Печатни коли 9.25
Формат 16/70/90

Факел експрес
1000 София, пл. „Славейков" 11
тел. 986 10 14
e-mail: fakelex@tea.bg
http://fakelexpress.com

Katerina Stoykova
THE AIR AROUND THE BUTTERFLY
poems
First Edition

Editor Georgi Borissov
Artist Inna Pavlova

ISBN 978-954-9772-64-7

Quires 9.25
Format 16/70/90

Fakel Express
11 Slaveikov Square, Sofia 1000, Bulgaria
tel. 359 2 986 10 14
email: fakelex@tea.bg
http://fakelexpress.com